Le naturalisme au théâtre

Émile Zola

Edition : Culturea (culurea.fr), 34 Hérault
Contact : infos@culturea.fr
Impression : BOD, Norderstedt (Allemagne)
ISBN : 9791041971909
Date de publication : juillet 2023
Mise en page et maquettage : https://reedsy.com/
Cet ouvrage a été composé avec la police Bauer Bodoni

Le naturalisme au théâtre

LE NATURALISME

I

Chaque hiver, à l'ouverture de la saison théâtrale, je suis pris des mêmes pensées. Un espoir pousse en moi, et je me dis que les premières chaleurs de l'été ne videront peutêtre pas les salles, sans qu'un auteur dramatique de génie se soit révélé. Notre théâtre aurait tant besoin d'un homme nouveau, qui balayât les planches encanaillées, et qui opérât une renaissance, dans un art que les faiseurs ont abaissé aux simples besoins de la foule! Oui, il faudrait un tempérament puissant dont le cerveau novateur vînt révolutionner les conventions admises et planter enfin le véritable drame humain à la place des mensonges ridicules qui s'étalent aujourd'hui. Je m'imagine ce créateur enjambant les ficelles des habiles, crevant les cadres imposés, élargissant la scène jusqu'à la mettre de plainpied avec la salle, donnant un frisson de vie aux arbres peints des coulisses, amenant par la toile de fond le grand air libre de la vie réelle.

Malheureusement, ce rêve, que je fais chaque année au mois d'octobre, ne s'est pas encore réalisé et ne se réalisera peutêtre pas de sitôt. J'ai beau attendre, je vais de chute en chute. Estce donc un simple souhait de poète? Nous aton muré dans cet art dramatique actuel, si étroit, pareil à un caveau où manquent l'air et la lumière? Certes, si la nature de l'art dramatique interdisait cet envolement dans des formules plus larges, il serait quand même beau de s'illusionner et de se promettre à toute heure une renaissance. Mais, malgré les affirmations entêtées de certains critiques qui n'aiment pas à être dérangés dans leur criterium, il est évident que l'art dramatique, comme tous les arts, a devant lui un domaine illimité, sans barrière d'aucune sorte, ni à gauche ni à droite. L'infirmité, l'impuissance humaine seule est la borne d'un art.

Pour bien comprendre la nécessité d'une révolution au théâtre, il faut établir nettement où nous en sommes aujourd'hui. Pendant toute notre période classique, la tragédie a régné en maîtresse absolue. Elle était rigide et intolérante, ne souffrant pas une velléité de liberté, pliant les esprits les plus grands à ses inexorables lois. Lorsqu'un auteur tentait de s'y soustraire, on le condamnait comme un esprit mal fait, incohérent et bizarre, on le regardait presque comme un homme dangereux. Pourtant, dans cette formule si étroite, le génie bâtissait quand même son monument de marbre et d'airain. La formule était née dans la renaissance grecque et latine, les créateurs qui se l'appropriaient y trouvaient le cadre suffisant à de grandes oeuvres. Plus tard seulement, lorsqu'arrivèrent les imitateurs, la queue de plus en plus grêle et débile des disciples, les défauts de la formule apparurent, on en vit les ridicules et les invraisemblances, l'uniformité menteuse, la déclamation continuelle et insupportable. D'ailleurs, l'autorité de la tragédie était telle, qu'il fallut deux cents ans pour la démoder. Peu à peu, elle avait tâché de s'assouplir, sans y arriver, car les principes autoritaires dont elle découlait, lui interdisaient formellement, sous peine de mort, toute concession à l'esprit nouveau. Ce fut lorsqu'elle tenta de s'élargir qu'elle fut renversée, après un long règne de gloire.

Depuis le dixhuitième siècle, le drame romantique s'agitait donc dans la tragédie. Les trois unités étaient parfois violées, on donnait plus d'importance à la décoration et à la figuration, on mettait en scène les péripéties violentes que la tragédie reléguait dans des récits, comme pour ne pas troubler par l'action la tranquillité majestueuse de l'analyse psychologique. D'autre part, la passion de la grande époque était remplacée par de simples procédés, une pluie grise de médiocrité et d'ennui tombait sur les planches. On croit voir la tragédie, vers le commencement de ce siècle, pareille à une haute figure pâle et maigrie, n'ayant plus sous sa peau blanche une goutte de sang, traînant ses draperies en lambeaux dans les ténèbres d'une scène, dont la rampe s'est éteinte d'ellemême. Une renaissance de l'art dramatique sous une nouvelle formule était fatale, et c'est alors que le drame romantique planta bruyamment son étendard devant le trou du souffleur. L'heure se trouvait marquée, un lent travail avait eu lieu, l'insurrection s'avançait sur un terrain préparé pour la victoire. Et jamais le mot insurrection n'a été plus juste, car le drame saisit corps à corps la tragédie, et par haine de cette reine devenue impotente, il voulut briser tout ce qui rappelait son règne. Elle n'agissait pas, elle gardait une majesté froide sur son trône, procédant par des discours et des récits; lui, prit pour règle l'action, l'action outrée, sautant aux quatre coins de la scène, frappant à droite et à gauche, ne raisonnant et n'analysant plus, étalant sous les yeux du public l'horreur sanglante des dénouements. Elle avait choisi pour cadre l'antiquité, les éternels Grecs et les éternels Romains, immobilisant l'action dans une salle, dans un pérystile de temple; lui, choisit le moyen âge, fit défiler les preux et les châtelaines, multiplia les décors étranges, des châteaux plantés à pic sur des fleuves, des salles d'armes emplies d'armures, des cachots souterrains trempés d'humidité, des clairs de lune dans des forêts centenaires. Et l'antagonisme se retrouve ainsi partout; le drame romantique, brutalement, se fait l'adversaire armé de la tragédie et la combat par tout ce qu'il peut ramasser de contraire à sa formule.

Il faut insister sur cette rage d'hostilité, dans le beau temps du drame romantique, car il y a là une indication précieuse. Sans doute, les poètes qui ont dirigé le mouvement, parlaient de mettre à la scène la vérité des passions et réclamaient un cadre plus vaste pour y faire tenir la vie humaine tout entière, avec ses oppositions et ses inconséquences; ainsi, on se rappelle que le drame romantique a surtout bataillé pour mêler le rire aux larmes dans une même pièce, en s'appuyant sur cet argument que la gaieté et la douleur marchent côte à côte icibas. Mais, en somme, la vérité, la réalité importait peu, déplaisait même aux novateurs. Ils n'avaient qu'une passion, jeter par terre la formule tragique qui les gênait, la foudroyer à grand bruit, dans une débandade de toutes les audaces. Ils voulaient, non pas que leurs héros du moyen âge fussent plus réels que les héros antiques des tragédies, mais qu'ils se montrassent aussi passionnés et sublimes que ceuxci se montraient froids et corrects. Une simple guerre de costumes et de rhétoriques, rien de plus. On se jetait ses pantins à la tête. Il s'agissait de déchirer les peplums en l'honneur des pourpoints et de faire que l'amante qui parlait à son amant, au lieu de l'appeler: Mon seigneur, l'appelât: Mon lion. D'un côté comme de l'autre, on restait dans la fiction, on décrochait les étoiles.

Certes, je ne suis pas injuste envers le mouvement romantique. Il a eu une importance capitale et définitive, il nous a faits ce que nous sommes, c'estàdire des artistes libres. Il était, je le répète, une révolution nécessaire, une violente émeute qui s'est produite à son heure pour balayer le règne de la tragédie tombée en enfance. Seulement, il serait ridicule de vouloir borner au drame romantique l'évolution de l'art dramatique. Aujourd'hui surtout, on reste stupéfait quand on lit certaines préfaces, où le mouvement de 1830 est donné comme une entrée triomphale dans la vérité humaine. Notre recul d'une quarantaine d'années suffit déjà pour nous faire clairement voir que la prétendue vérité des romantiques est une continuelle et monstrueuse exagération du réel, une fantaisie lâchée dans l'outrance. A coup sûr, si la tragédie est d'une autre fausseté, elle n'est pas plus fausse. Entre les personnages en peplum qui se promènent avec des confidents et discutent sans fin leurs passions, et les personnages en pourpoint qui font les grands bras et qui s'agitent comme des hannetons grisés de soleil, il n'y a pas de choix à faire, les uns et les autres sont aussi parfaitement inacceptables. Jamais ces genslà n'ont existé. Les héros romantiques ne sont que les héros tragiques, piqués un mardi gras par la tarentule du carnaval, affublés de faux nez et dansant le cancan dramatique après boire. A une rhétorique lymphatique, le mouvement de 1830 a substitué une rhétorique nerveuse et sanguine, voilà tout.

Sans croire au progrès dans l'art, on peut dire que l'art est continuellement en mouvement, au milieu des civilisations, et que les phases de l'esprit humain se reflètent en lui. Le génie se manifeste dans toutes les formules, même dans les plus primitives et les plus naïves; seulement, les formules se transforment et suivent l'élargissement des civilisations, cela est incontestable. Si Eschyle a été grand, Shakespeare et Molière se sont montrés également grands, tous les trois dans des civilisations et des formules différentes. Je veux déclarer par là que je mets à part le génie créateur qui sait toujours se contenter de la formule de son époque. Il n'y a pas progrès dans la création humaine, mais il y a une succession logique de formules, de façons de penser et d'exprimer. C'est ainsi que l'art marche avec l'humanité, en est le langage même, va où elle va, tend comme elle à la lumière et à la vérité, sans pour cela que l'effort du créateur puisse être jugé plus ou moins grand, soit qu'il se produise au début soit qu'il se produise à la fin d'une littérature.

D'après cette façon de voir, il est certain que, si l'on part de la tragédie, le drame romantique est un premier pas vers le drame naturaliste auquel nous marchons. Le drame romantique a déblayé le terrain, proclamé la liberté de l'art. Son amour de l'action, son mélange du rire et des larmes, sa recherche du costume et du décor exacts, indiquent le mouvement en avant vers la vie réelle. Dans toute révolution contre un régime séculaire, n'estce pas ainsi que les choses se passent? On commence par casser les vitres, on chante et on crie, on démolit à coups de marteau les armoiries du dernier règne. Il y a une première exubérance, une griserie des horizons nouveaux vaguement entrevus, des excès de toutes sortes qui dépassent le but et qui tombent dans l'arbitraire du système abhorré dont on vient de combattre les abus. Au milieu de la bataille, les vérités du lendemain disparaissent. Et il faut que tout soit calmé, que la fièvre ait disparu, pour qu'on regrette les vitres cassées et pour qu'on s'aperçoive de la besogne mauvaise, des lois trop hâtivement bâclées, qui valent à peine les lois contre lesquelles on s'est révolté. Eh bien, toute l'histoire du drame romantique est là. Il a pu être la formule nécessaire d'un moment, il a pu avoir l'intuition de la vérité, il a pu être le cadre à jamais illustre dont un grand poète s'est servi pour réaliser des chefsd'oeuvre; à l'heure actuelle, il n'en est pas moins une formule ridicule et démodée, dont la rhétorique nous choque. Nous nous demandons pourquoi enfoncer ainsi les fenêtres, traîner des rapières, rugir continuellement, être d'une gamme trop haut dans les sentiments et les mots; et cela nous glace, cela nous ennuie et nous fâche. Notre condamnation de la formule romantique se résume dans cette parole sévère: pour détruire une rhétorique, il ne fallait pas en inventer une autre.

Aujourd'hui donc, tragédie et drame romantique sont également vieux et usés. Et cela n'est guère en l'honneur du drame, il faut le dire, car en moins d'un demisiècle il est tombé dans le même état de vétusté que la tragédie, qui a mis deux siècles à vieillir. Le voilà par terre à son tour, culbuté par la passion même qu'il a montrée dans la lutte. Plus rien n'existe. Il est simplement permis de deviner ce qui va se produire. Logiquement, sur le terrain libre conquis en 1830, il ne peut pousser qu'une formule naturaliste.

II

Il semble impossible que le mouvement d'enquête et d'analyse, qui est le mouvement même du dixneuvième siècle, ait révolutionné toutes les sciences et tous les arts, en laissant à part et comme isolé l'art dramatique. Les sciences naturelles datent de la fin du siècle dernier; la chimie, la physique n'ont pas cent ans; l'histoire et la critique ont été renouvelées, créées en quelque sorte après la Révolution; tout un monde est sorti de terre, on en est revenu à l'étude des documents, à l'expérience, comprenant que pour fonder à nouveau, il fallait reprendre les choses au commencement, connaître l'homme et la nature, constater ce qui est. De là, la grande école naturaliste, qui s'est propagée sourdement, fatalement, cheminant souvent dans l'ombre, mais avançant quand même, pour triompher enfin au grand jour. Faire l'histoire de ce mouvement, avec les malentendus qui ont pu paraître l'arrêter, les causes multiples qui l'ont précipité ou ralenti, ce serait faire l'histoire du siècle luimême. Un courant irrésistible emporte notre société à l'étude du vrai. Dans le roman, Balzac a été le hardi et puissant novateur qui a mis l'observation du savant à la place de l'imagination du poète. Mais, au théâtre, l'évolution semble plus lente. Aucun écrivain illustre n'a encore formulé l'idée nouvelle avec netteté.

Certes, je ne dis point qu'il ne se soit pas produit des oeuvres excellentes, où l'on trouve des caractères savamment étudiés, des vérités hardies portées à la scène. Par exemple, je citerai certaines pièces de M. Dumas fils, dont je n'aime guère le talent, et de M. Emile Augier, qui est plus humain et plus puissant. Seulement, ce sont là des nains à côté de Balzac; le génie leur a manqué pour fixer la formule. Ou qu'il faut dire, c'est qu'on ne sait jamais au juste où un mouvement commence, parce que ce mouvement vient d'ordinaire de fort loin, et qu'il se confond avec le mouvement précédent, dont il est sorti. Le courant naturaliste a existé de tout temps, si l'on veut. Il n'apporte rien d'absolument neuf. Mais il est enfin entré dans une époque qui lui est favorable, il triomphe et s'élargit, parce que l'esprit humain est arrivé au point de maturité nécessaire. Je ne nie donc pas le passé, je constate le présent. La force du naturalisme est justement d'avoir des racines profondes dans notre littérature nationale, qui est faite de beaucoup de bon sens. Il vient des entrailles mêmes de l'humanité, il est d'autant plus fort qu'il a mis plus longtemps à grandir et qu'il se retrouve dans un plus grand nombre de nos chefsd'oeuvre.

Des faits se produisent, et je les signale. Croiton qu'on aurait applaudi l'Ami Fritz à la ComédieFrançaise, il y a vingt ans? Non, certes! Cette pièce où l'on mange tout le temps, où l'amoureux parle un langage si familier, aurait révolté à la fois les classiques et les romantiques. Pour expliquer le succès, il faut convenir que les années ont marché, qu'un travail secret s'est fait dans le public. Les peintures exactes qui répugnaient, séduisent aujourd'hui. La foule est gagnée et la scène se trouve libre à toutes les tentatives. Telle est la seule conclusion à tirer.

Ainsi donc, voilà où nous en sommes. Pour mieux me faire entendre, j'insiste, je ne crains pas de me répéter, je résume ce que j'ai dit. Lorsqu'on examine de près l'histoire de notre littérature dramatique, on y distingue plusieurs époques nettement déterminées. D'abord, il y a l'enfance de l'art, les farces et les mystères du moyen âge, de simples récitatifs dialogues, qui se développaient au milieu d'une convention naïve, avec une mise en scène et des décors primitifs. Peu à peu, les pièces se compliquent, mais d'une façon barbare, et lorsque Corneille apparaît, il est surtout acclamé parce qu'il se présente en novateur, qu'il épure la formule dramatique du temps et qu'il la consacre par son génie. Il serait très intéressant d'étudier, sur des documents, comment la formule classique s'est créée chez nous. Elle répondait à l'esprit social de l'époque. Rien n'est solide en dehors de ce qui n'est pas bâti sur des nécessités. La tragédie a régné pendant deux siècles parce qu'elle satisfaisait exactement les besoins de ces siècles. Des génies de tempéraments différents l'avaient appuyée de leurs chefsd'oeuvre. Aussi, la voyonsnous s'imposer longtemps encore, même lorsque des talents de second ordre ne produisent plus que des oeuvres inférieures. Elle avait la force acquise, elle continuait d'ailleurs à être l'expression littéraire de la société du temps, et rien n'aurait pu la renverser, si la société ellemême n'avait pas disparu. Après la Révolution, après cette perturbation profonde qui allait tout transformer et accoucher d'un monde nouveau, la tragédie agonise pendant quelques années encore. Puis, la formule craque et le Romantisme triomphe, une nouvelle formule s'affirme. Il faut se reporter à la première moitié du siècle, pour avoir le sens exact de ce cri de liberté. La jeune société était dans le frisson de son enfantement. Les esprits surexcités, dépaysés, élargis violemment, restaient secoués d'une lièvre dangereuse et le premier usage de la liberté conquise était de se lamenter, de rêver les aventures prodigieuses, les amours surhumains. On bâillait aux étoiles, l'on se suicidait, réaction très curieuse contre l'affranchissement social qui venait d'être proclamé au prix de tant de sang. Je m'en tiens à la littérature dramatique, je constate que le romantisme fut au théâtre une simple émeute, l'invasion d'une bande victorieuse, qui entrait violemment sur la scène, tambours battants et drapeau déployé. Dans cette première heure, les combattants songèrent surtout à frapper les esprits par une forme neuve; ils opposèrent une rhétorique à une rhétorique, le moyen âge à l'antiquité, l'exaltation de la passion à l'exaltation du devoir. Et ce fut tout, car les conventions scéniques ne firent que se déplacer, les personnages restèrent des marionnettes autrement habillées, rien ne fut modifié que l'aspect extérieur et le langage. D'ailleurs, cela suffisait pour l'époque. Il fallait prendre possession du théâtre au nom de la liberté littéraire, et le romantisme s'acquitta de ce rôle insurrectionnel avec un éclat incomparable. Mais qui ne comprend aujourd'hui que son rôle devait se borner à cela. Estce que le romantisme exprime notre société d'une façon quelconque, estce qu'il répond à un de nos besoins? Évidemment, non. Aussi estil déjà démodé, comme un jargon que nous n'entendons plus. La littérature classique qu'il se flattait de remplacer, a vécu deux siècles, parce qu'elle était basée sur l'état social; mais lui, qui ne se basait sur rien, sinon sur la fantaisie de quelques poètes, ou si l'on veut sur une maladie passagère des esprits surmenés par les événements historiques, devait fatalement disparaître avec cette maladie. Il a été l'occasion d'un magnifique épanouissement lyrique; ce sera son éternelle gloire. Seulement, aujourd'hui que l'évolution s'accomplit tout entière, il est bien visible que le romantisme n'a été que le chaînon nécessaire qui devait attacher la littérature classique à la littérature naturaliste. L'émeute est terminée, il s'agit de fonder un État solide. Le naturalisme découle de l'art classique, comme la société actuelle est basée sur les débris de la société ancienne. Lui seul répond à notre état social, lui seul a des racines profondes dans l'esprit de l'époque; et il fournira la seule formule d'art durable et vivante, parce que cette formule exprimera la façon d'être de l'intelligence contemporaine. En dehors de lui, il ne saurait y avoir pour longtemps que modes et fantaisies passagères. Il est, je le dis encore, l'expression du siècle, et pour qu'il périsse, il faudrait qu'un nouveau bouleversement transformât notre monde démocratique.

Maintenant, il reste à souhaiter une chose: la venue d'hommes de génie qui consacrent la formule naturaliste. Balzac s'est produit dans le roman, et le roman est fondé. Quand viendront les Corneille, les Molière, les Racine, pour fonder chez nous un nouveau théâtre? Il faut espérer et attendre.

III

Le temps semble déjà loin où le drame régnait en maître. Il comptait à Paris cinq ou six théâtres prospères. La démolition des anciennes salles du boulevard du Temple a été pour lui une première catastrophe. Les théâtres ont dû se disséminer, le public a changé, d'autres modes sont venues. Mais le discrédit où le drame est tombé provient surtout de l'épuisement du genre, des pièces ridicules et ennuyeuses qui ont peu à peu succédé aux oeuvres puissantes de 1830.

Il faut ajouter le manque absolu d'acteurs nouveaux comprenant et interprétant ces sortes de pièces, car chaque formule dramatique qui disparaît emporte avec elle ses interprètes. Aujourd'hui, le drame, chassé de scène en scène, n'a plus réellement à lui que l'Ambigu et le ThéâtreHistorique. A la PorteSaintMartin ellemême, c'est à peine si on lui fait une petite place, entre deux pièces à grand spectacle.

Certes, un succès de loin en loin ranime les courages. Mais la pente est fatale, le drame glisse à l'oubli; et, s'il paraît vouloir parfois s'arrêter dans sa chute, c'est pour rouler ensuite plus bas. Naturellement, les plaintes sont grandes. La queue romantique, surtout, est dans la désolation; elle jure bien haut qu'en dehors du drame, de son drame à elle, il n'y a pas de salut pour notre littérature dramatique. Je crois au contraire qu'il faut trouver une formule nouvelle, transformer le drame, comme les écrivains de la première moitié du siècle ont transformé la tragédie. Toute la question est là. La bataille doit être aujourd'hui entre le drame romantique et le drame naturaliste.

Je désigne par drame romantique toute pièce qui se moque de la vérité des faits et des personnages, qui promène sur les planches des pantins au ventre bourré de son, qui, sous le prétexte de je ne sais quel idéal, patauge dans le pastiche de Shakespeare et d'Hugo. Chaque époque a sa formule, et notre formule n'est certainement pas celle de 1830. Nous sommes à un âge de méthode, de science expérimentale, nous avons avant tout le besoin de l'analyse exacte. Ce serait bien peu comprendre la liberté conquise que de vouloir nous enfermer dans une nouvelle tradition. Le terrain est libre, nous pouvons revenir à l'homme et à la nature.

Dernièrement, on faisait de grands efforts pour ressusciter le drame historique. Rien de mieux. Un critique ne peut condamner d'un mot le choix des sujets historiques, malgré toutes ses préférences personnelles pour les sujets modernes. Je suis simplement plein de méfiance. Le patron sur lequel on taille chez nous ces sortes de pièces me fait peur à l'avance. Il faut voir comme on y traite l'histoire, quels singuliers personnages on y présente sous des noms de rois, de grands capitaines ou de grands artistes, enfin à quelle effroyable sauce on y accommode nos annales. Dès que les auteurs de ces machineslà sont dans le passé, ils se croient tout permis, les invraisemblances, les poupées de carton, les sottises énormes, les barbouillages criards d'une fausse couleur locale. Et quelle étrange langue, François 1er parlant comme un mercier de la rue SaintDenis, Richelieu ayant des mots de traître du boulevard du Crime, Charlotte Corday pleurant avec des sentimentalités de petite ouvrière!

Ce qui me stupéfie, c'est que nos auteurs dramatiques ne paraissent pas se douter un instant que le genre historique est forcément le plus ingrat, celui où les recherches, la conscience, le talent profond d'intuition et de résurrection sont le plus nécessaires. Je comprends ce drame, lorsqu'il est traité par des poètes de génie ou par des hommes d'une science immense, capables de mettre devant les spectateurs toute une époque debout, avec son air particulier, ses moeurs, sa civilisation; c'est là alors une oeuvre de divination ou de critique d'un intérêt profond.

Mais je sais malheureusement ce que les partisans du drame historique veulent ressusciter: c'est uniquement le drame à panaches et à ferraille, la pièce à grand spectacle et à grands mots, la pièce menteuse faisant la parade devant la foule, une parade grossière qui attriste les esprits justes. Et je me méfie. Je crois que toute cette antiquaille est bonne à laisser dans notre musée dramatique, sous une pieuse couche de poussière.

Sans doute, il y a de grands obstacles aux tentatives originales. On se heurte contre les hypocrisies de la critique et contre la longue éducation de sottise faite à la foule. Cette foule, qui commence à rire des enfantillages de certains mélodrames, se laisse toujours prendre aux tirades sur les beaux sentiments. Mais les publics changent; le public de Shakespeare, le public de Molière ne sont plus les nôtres. Il faut compter sur le mouvement des esprits, sur le besoin de réalité qui grandit partout. Les derniers romantiques ont beau répéter que le public veut ceci, que le public ne veut pas cela: il viendra un jour où le public voudra la vérité.

IV

Toutes les formules anciennes, la formule classique, la formule romantique, sont basées sur l'arrangement et sur l'amputation systématiques du vrai. On a posé en principe que le vrai est indigne; et on essaye d'en tirer une essence, une poésie, sous le prétexte qu'il faut expurger et agrandir la nature. Jusqu'à présent, les différentes écoles littéraires ne se sont battues que sur la question de savoir de quel déguisement on devait habiller la vérité, pour qu'elle n'eût pas l'air d'une dévergondée en public. Les classiques avaient adopté le peplum, les romantiques ont fait une révolution pour imposer la cotte de maille et le pourpoint. Au fond, ce changement de toilette importe peu, le carnaval de la nature continue. Mais, aujourd'hui, les naturalistes arrivent et déclarent que le vrai n'a pas besoin de draperies; il doit marcher dans sa nudité. Là, je le répète, est la querelle.

Certes, les écrivains de quelque jugement comprennent parfaitement que la tragédie et le drame romantique sont morts. Seulement, le plus grand nombre sont très troublés en songeant à la formule encore vague de demain. Estce que sérieusement la vérité leur demande de faire le sacrifice de la grandeur, de la poésie, du souffle épique qu'ils ont l'ambition de mettre dans leurs pièces? Estce que le naturalisme exige d'eux qu'ils rapetissent de toutes parts leur horizon et qu'ils ne risquent plus un seul coup d'aile dans le ciel de la fantaisie?

Je vais tâcher de répondre. Mais, auparavant, il faut déterminer les procédés que les idéalistes emploient pour hausser leurs oeuvres à la poésie. Ils commencent par reculer au fond des âges le sujet qu'ils ont choisi. Cela leur fournit des costumes et rend le cadre assez vague pour leur permettre tous les mensonges. Ensuite, ils généralisent au lieu d'individualiser; leurs personnages ne sont plus des êtres vivants, mais des sentiments, des arguments, des passions déduites et raisonnées. Le cadre faux veut des héros de marbre ou de carton. Un homme en chair et en os, avec son originalité propre, détonnerait d'une façon criarde au milieu d'une époque légendaire. Aussi voiton les personnages d'une tragédie ou d'un drame romantique se promener, raidis dans une altitude, l'un représentant le devoir, l'autre le patriotisme, un troisième la superstition, un quatrième l'amour maternel; et ainsi de suite, toutes les idées abstraites y passent à la file. Jamais l'analyse complète d'un organisme, jamais un personnage dont les muscles et le cerveau travaillent comme dans la nature.

Ce sont donc là les procédés auxquels les écrivains tournés vers l'épopée ne veulent pas renoncer. Toute la poésie, pour eux, est dans le passé et dans l'abstraction, dans l'idéalisation des faits et des personnages. Dès qu'on les met en face de la vie quotidienne, dès qu'ils ont devant eux le peuple qui emplit nos rues, ils battent des paupières, ils balbutient, effarés, ne voyant plus clair, trouvant tout très laid et indigne de l'art. A les entendre, il faut que les sujets entrent dans les mensonges de la légende, il faut que les hommes se pétrifient et tournent à l'état de statue, pour que l'artiste puisse enfin les accepter et les accommoder à sa guise.

Or, c'est à ce moment que les naturalistes arrivent et disent très carrément que la poésie est partout, en tout, plus encore dans le présent et le réel que dans le passé et l'abstraction. Chaque fait, à chaque heure, a son côté poétique et superbe. Nous coudoyons des héros autrement grands et puissants que les marionnettes des faiseurs d'épopée. Pas un dramaturge, dans ce siècle, n'a mis debout des figures aussi hautes que le baron Hulot, le vieux Grandet, César Birotteau, et tous les autres personnages de Balzac, si individuels et si vivants. Auprès de ces créations géantes et vraies, les héros grecs ou romains grelottent, les héros du moyen âge tombent sur le nez comme des soldats de plomb.

Certes, à cette heure, devant les oeuvres supérieures produites par l'école naturaliste, des oeuvres de haut vol, toutes vibrantes de vie, il est ridicule et faux de parquer la poésie dans je ne sais quel temple d'antiquailles, parmi les toiles d'araignée. La poésie coule à plein bord dans tout ce qui existe, d'autant plus large qu'elle est plus vivante. Et j'entends donner à ce mot de poésie toute sa valeur, ne pas en enfermer le sens entre la cadence de deux rimes, ni au fond d'une chapelle étroite de rêveurs, lui restituer son vrai sens humain, qui est de signifier l'agrandissement et l'épanouissement de toutes les vérités.

Prenez donc le milieu contemporain, et tâchez d'y faire vivre des hommes: vous écrirez de belles oeuvres. Sans doute, il faut un effort, il faut dégager du pêlemêle de la vie la formule simple du naturalisme. Là est la difficulté, faire grand avec des sujets et des personnages que nos yeux, accoutumés au spectacle de chaque jour, ont fini par voir petits. Il est plus commode, je le sais, de présenter une marionnette au public, d'appeler la marionnette Charlemagne et de la gonfler à un tel point de tirades, que le public s'imagine avoir vu un colosse; cela est plus commode que de prendre un bourgeois de notre époque, un homme grotesque et mal mis et d'en tirer une poésie sublime, d'en faire, par exemple, le père Goriot, le père qui donne ses entrailles à ses filles, une figure si énorme de vérité et d'amour, qu'aucune littérature ne peut en offrir une pareille.

Rien n'est aisé comme de travailler sur des patrons, avec des formules connues; et les héros, dans le goût classique ou romantique, coûtent si peu de besogne, qu'on les fabrique à la douzaine. C'est un article courant dont notre littérature est encombrée. Au contraire, l'effort devient très dur, lorsqu'on veut un héros réel, savamment analysé, debout et agissant. Voilà sans doute pourquoi le naturalisme terrifie les auteurs habitués à pêcher des grands hommes dans l'eau trouble de l'histoire. Il leur faudrait fouiller l'humanité trop profondément, apprendre la vie, aller droit à la grandeur réelle et la mettre en oeuvre d'une main puissante. Et qu'on ne nie pas cette poésie vraie de l'humanité; elle a été dégagée dans le roman, elle peut l'être au théâtre; il n'y a là qu'une adaptation à trouver.

Je suis tourmenté par une comparaison qui me poursuit et dont je me débarrasserai ici. On vient de jouer pendant de longs mois, à l'Odéon, les Danicheff, une pièce dont l'action se passe en Russie; elle a eu chez nous un très vif succès, seulement elle est si mensongère, paraîtil, si pleine de grossières invraisemblances, que l'auteur, qui est Russe, n'a pas même osé la faire représenter dans son pays. Que pensezvous de cette oeuvre qu'on applaudit à Paris et qui serait sifflée à SaintPétersbourg? Eh bien! imaginez un instant que les Romains puissent ressusciter et qu'on représente devant eux Rome vaincue. Entendezvous leurs éclats de rire? croyezvous que la pièce irait jusqu'au bout? Elle leur semblerait un véritable carnaval, elle sombrerait sous un immense ridicule. Et il en est ainsi de toutes les pièces historiques, aucune ne pourrait être jouée devant les sociétés qu'elles ont la prétention de peindre. Étrange théâtre, alors, qui n'est possible que chez des étrangers, qui est basé sur la disparition des générations dont il s'occupe, qui vit d'erreurs au point d'être seulement bon pour des ignorants!

L'avenir est au naturalisme. On trouvera la formule, on arrivera à prouver qu'il y a plus de poésie dans le petit appartement d'un bourgeois que dans tous les palais vides et vermoulus de l'histoire; on finira même par voir que tout se rencontre dans le réel, les fantaisies adorables, échappées du caprice et de l'imprévu, et les idylles, et les comédies, et les drames. Quand le champ sera retourné, ce qui semble inquiétant et irréalisable aujourd'hui, deviendra une besogne facile.

Certes, je ne puis me prononcer sur la forme que prendra le drame de demain; c'est au génie qu'il faut laisser le soin de parler. Mais je me permettrai pourtant d'indiquer la voie dans laquelle j'estime que notre théâtre s'engagera.

Il s'agit d'abord de laisser là le drame romantique. Il serait désastreux de lui prendre ses procédés d'outrance, sa rhétorique, sa théorie de l'action quand même, aux dépens de l'analyse des caractères. Les plus beaux modèles du genre ne sont, comme on l'a dit, que des opéras à grand spectacle. Je crois donc qu'on doit remonter jusqu'à la tragédie, non pas, grand Dieu! pour lui emprunter davantage sa rhétorique, son système de confidents, de déclamation, de récits interminables; mais pour revenir à la simplicité de l'action et à l'unique étude psychologique et physiologique des personnages. Le cadre tragique ainsi entendu est excellent: un fait se déroulant dans sa réalité et soulevant chez les personnages des passions et des sentiments, dont l'analyse exacte serait le seul intérêt de la pièce. Et cela dans le milieu contemporain, avec le peuple qui nous entoure.

Mon continuel souci, mon attente pleine d'angoisse est donc de m'interroger, de me demander lequel de nous va avoir la force de se lever tout debout et d'être un homme de génie. Si le drame naturaliste doit être, un homme de génie seul peut l'enfanter. Corneille et Racine ont fait la tragédie. Victor Hugo a fait le drame romantique. Où donc est l'auteur encore inconnu qui doit faire le drame naturaliste! Depuis quelques années, les tentatives n'ont pas manqué. Mais, soit que le public ne fût pas mûr, soit plutôt qu'aucun des débutants n'eût le large souffle nécessaire, pas une de ces tentatives n'a eu encore de résultat décisif.

En ces sortes de combats, les petites victoires ne signifient rien; il faut des triomphes, accablant les adversaires, gagnant la foule à la cause. Devant un homme vraiment fort, les spectateurs plieraient les épaules. Puis, cet homme apporterait le mot attendu, la solution du problème, la formule de la vie réelle sur la scène, en la combinant avec la loi d'optique nécessaire au théâtre. Il réaliserait enfin ce que les nouveaux venus n'ont pu trouver encore: être assez habile ou assez puissant pour s'imposer, rester assez vrai pour que l'habileté ne le conduisît pas au mensonge.

Et quelle place immense ce novateur prendrait dans notre littérature dramatique! Il serait au sommet. Il bâtirait son monument au milieu du désert de médiocrité que nous traversons, parmi les bicoques de boue et de crachat dont on sème au jour le jour nos scènes les plus illustres. Il devrait tout remettre en question et tout refaire, balayer les planches, créer un monde, dont il prendrait les éléments dans la vie, en dehors des traditions. Parmi les rêves d'ambition que peut faire un écrivain à notre époque, il n'en est certainement pas de plus vaste. Le domaine du roman est encombré; le domaine du théâtre est libre. A cette heure, en France, une gloire impérissable attend l'homme de génie qui, reprenant l'oeuvre de Molière, trouvera en plein dans la réalité la comédie vivante, le drame vrai de la société moderne.

LE DON

Je parlerai de ce fameux don du théâtre, dont il est si souvent question.

On connaît la théorie. L'auteur dramatique est un homme prédestiné qui naît avec une étoile au front. Il parle, les foules le reconnaissent et s'inclinent. Dieu l'a pétri d'une matière rare et particulière. Son cerveau a des cases en plus. Il est le dompteur qui apporte une électricité dans le regard. Et ce don, cette flamme divine est d'une qualité si précieuse, qu'elle ne descend et ne brûle que sur quelques têtes choisies, une douzaine au plus par génération.

Cela fait sourire. Voyezvous l'auteur dramatique transformé en oint du Seigneur! J'ignore pourquoi, par décret, on n'autoriserait pas nos vaudevillistes et nos dramaturges à porter un costume de pontifes pour les différencier de la foule. Comme ce monde du théâtre gratte et exaspère la vanité! Il n'y a pas que les comédiens qui se haussent sur les planches et se donnent en continuel spectacle. Voilà les auteurs dramatiques gagnés par cette fièvre. Ils veulent être exceptionnels, ils ont des secrets comme les francsmaçons, ils lèvent les épaules de pitié quand un profane touche à leur art, ils déclarent modestement qu'ils ont un génie particulier; mon Dieu! oui, euxmêmes ne sauraient dire pourquoi ils ont ce talent, c'est comme cela, c'est le ciel qui l'a voulu. On peut chercher à leur dérober leur secret; peine inutile, le travail, qui mène à tout, ne mène pas à la science du théâtre. Et la critique moutonnière accrédite cette belle croyancelà, fait ce joli métier de décourager les travailleurs.

Voyons, il faudrait s'entendre. Dans tous les arts, le don est nécessaire. Le peintre qui n'est pas doué, ne fera jamais que des tableaux très médiocres; de même le sculpteur, de même le musicien. Parmi la grande famille des écrivains, il naît des philosophes, des historiens, des critiques, des poètes, des romanciers; je veux dire des hommes que leurs aptitudes personnelles poussent plutôt vers la philosophie, l'histoire, la critique, la poésie, le roman. Il y a là une vocation, comme dans les métiers manuels. Au théâtre aussi il faut le don, mais il ne le faut pas davantage que dans le roman, par exemple. Remarquez que la critique, toujours inconséquente, n'exige pas le don chez le romancier. Le commissionnaire du coin ferait un roman, que cela n'étonnerait personne; il serait dans son droit. Mais, lorsque Balzac se risquait à écrire une pièce, c'était un soulèvement général; il n'avait pas le droit de faire du théâtre, et la critique le traitait en véritable malfaiteur.

Avant d'expliquer cette stupéfiante situation faite aux auteurs dramatiques, je veux poser deux points avec netteté. La théorie du don du théâtre entraînerait deux conséquences: d'abord, il y aurait un absolu dans l'art dramatique; ensuite, quiconque serait doué deviendrait à peu près infaillible.

Le théâtre! voilà l'argument de la critique. Le théâtre est ceci, le théâtre est cela. Eh! bon Dieu! je ne cesserai de le répéter, je vois bien des théâtres, je ne vois pas le théâtre. Il n'y a pas d'absolu, jamais! dans aucun art! S'il y a un théâtre, c'est qu'une mode l'a créé hier et qu'une mode l'emportera demain. On met en avant la théorie que le théâtre est une synthèse, que le parfait auteur dramatique doit dire en un mot ce que le romancier dit en une page. Soit! notre formule dramatique actuelle donne raison à celle théorie. Mais que feraton alors de la formule dramatique du dixseptième siècle, de la tragédie, ce développement purement oratoire? Estce que les discours interminables que l'on trouve dans Racine et dans Corneille sont de la synthèse? Estce que surtout le fameux récit de Théramène est de la synthèse? On prétend qu'il ne faut pas de description au théâtre; en voilà pourtant une, et d'une belle longueur, et dans un de nos chefsd'oeuvre.

Où est donc le théâtre? Je demande à le voir, à savoir comment il est fait et quelle figure il a. Vous imaginezvous nos tragiques et nos comiques d'il y a deux siècles en face de nos drames et de nos comédies d'aujourd'hui? Ils n'y comprendraient absolument rien. Cette fièvre cabriolante, cette synthèse qui sautille en petites phrases nerveuses, tout cet art bâché et poussif leur semblerait de la folie pure. De même que si un de nos auteurs s'avisait de reprendre l'ancienne formule, on le plaisanterait comme un homme qui monterait en coucou pour aller à Versailles. Chaque génération a son théâtre, voilà la vérité. J'aurais la partie trop belle, si je comparais maintenant les théâtres étrangers avec le nôtre. Admettez que Shakespeare donne aujourd'hui ses chefsd'oeuvre à la ComédieFrançaise; il serait sifflé de la belle façon. Le théâtre russe est impossible chez nous, parce qu'il a trop de saveur originale. Jamais nous n'avons pu acclimater Schiller. Les Espagnols, les Italiens ont également leurs formules. Il n'y a que nous qui, depuis un demisiècle, nous soyons mis à fabriquer des pièces d'exportation, qui peuvent être jouées partout, parce qu'elles n'ont justement pas d'accent et qu'elles ne sont que de jolies mécaniques bien construites.

Du moment où l'absolu n'existe pas dans un art, le don prend un caractère plus large et plus souple. Mais ce n'est pas tout: l'expérience de chaque jour nous prouve que les auteurs qui ont ce fameux don, n'en produisent pas moins, de temps à autre, des pièces très mal faites et qui tombent. Il paraît que le don sommeille par instants. Il est inutile de citer des exemples. Tout d'un coup, l'auteur le plus adroit, le plus vigoureux, le plus respecté du public, accouche d'une oeuvre non seulement médiocre, mais qui ne se lient même pas debout. Voilà le dieu par terre. Et si l'on fréquente le monde des coulisses, c'est bien autre chose. Interrogez un directeur, un comédien, un auteur dramatique: ils vous répondront qu'ils n'entendent rien du tout au théâtre. On siffle les scènes sur lesquelles ils comptaient, on applaudit celles qu'ils voulaient couper la veille de la première représentation. Toujours, ils marchent dans l'inconnu, au petit bonheur. Leur vie est faite de hasards. Ce qui réussit là, échoue ailleurs; un soir, un mot porte, le lendemain il ne fait aucun effet. Pas une règle, pas une certitude, la nuit complète.

Que vienton alors nous parler de don, et donner au don une importance décisive, lorsqu'il n'y a pas une formule stable et lorsque les mieux doués ne sont encore que des écoliers, qui ont du bonheur un jour et qui n'en ont plus le lendemain! Je sais bien qu'il y a un criterium commode pour la critique: une pièce réussit, l'auteur a le don; elle tombe, l'auteur n'a pas le don. Vraiment c'est là une façon de s'en tirer à bon compte. Musset n'avait certainement pas le don au degré où le possède M. Sardou; qui hésiterait pourtant entre les deux répertoires? Le don est une invention toute moderne. Il est né avec notre mécanique théâtrale. Quand on fait bon marché de la langue, de la vérité, des observations, de la création d'âmes originales, on en arrive fatalement à mettre audessus de tout l'art de l'arrangement, la pratique matérielle. Ce sont nos comédies d'intrigue, avec leurs complications scéniques, qui ont donné cette importance au métier. Mais, sans compter que la formule change selon les évolutions littéraires, estce que le génie de nos classiques, de Molière et de Corneille, est dans ce métier? Non, mille fois non! Ce qu'il faut dire, c'est que le théâtre est ouvert à toutes les tentatives, à la vaste production humaine. Ayez le don, mais ayez surtout du talent. On ne badine pas avec l'amour vivra, tandis que j'ai grand'peur pour les Bourgeois de PontArcy.

Maintenant, voyons ce qui peut donner le change à la critique et la rendre si sévère pour les tentatives dramatiques qui échouent. Examinons d'abord ce qui se passe, lorsqu'un romancier publie un roman et lorsqu'un auteur dramatique fait jouer une pièce.

Voilà le volume en vente. J'admets que le romancier y ait fait une étude originale, dont l'âpreté doive blesser le public. Dans les premiers temps, le succès est médiocre. Chaque lecteur, chez lui, les pieds sur les chenets, se fâche plus ou moins. Mais s'il a le droit de brûler son exemplaire, il ne peut brûler l'édition. On ne tue pas un livre. Si le livre est fort, chaque jour il gagnera à l'auteur des sympathies. Ce sera un prosélytisme lent, mais invincible. Et, un beau matin, le roman dédaigné, le roman conspué, aura vaincu et prendra de luimême la haute place à laquelle il a droit.

Au contraire, on joue la pièce. L'auteur dramatique y a risqué, comme le romancier, des nouveautés de forme et de fond. Les spectateurs se fâchent, parce que ces nouveautés les dérangent. Mais ils ne sont plus chez eux, isolés; ils sont en masse, quinze cents à deux mille; et du coup, sous les huées, sous les sifflets, ils tuent la pièce. Dès lors, il faudra des circonstances extraordinaires pour que cette pièce ressuscite et soit reprise devant un autre public, qui cassera le jugement du premier, s'il y a lieu. Au théâtre, il faut réussir surlechamp; on n'a pas à compter sur l'éducation des esprits, sur la conquête lente des sympathies. Ce qui blesse, ce qui a une saveur inconnue, reste sur le carreau, et pour longtemps, si ce n'est pour toujours.

Ce sont ces conditions différentes qui, aux yeux de la critique, ont grandi si démesurément l'importance du don au théâtre. Mon Dieu! dans le roman, soyez ou ne soyez pas doué, faites mauvais si cela vous amuse, puisque vous ne courez pas le risque d'être étranglé. Mais, au théâtre, méfiezvous, ayez un talisman, soyez sûr de prendre le public par des moyens connus; autrement, vous êtes un maladroit, et c'est bien fait si vous restez par terre. De là, la nécessité du succès immédiat, cette nécessité qui rabaisse le théâtre, qui tourne l'art dramatique au procédé, à la recette, à la mécanique. Nous autres romanciers, nous demeurons souriants au milieu des clameurs que nous soulevons. Qu'importe! nous vivrons quand même, nous sommes supérieurs aux colères d'en bas. L'auteur dramatique frissonne; il doit ménager chacun; il coupe un mot; remplace une phrase; il masque ses intentions, cherche des expédients pour duper son monde, en somme, il pratique un art de ficelles, auquel les plus grands ne peuvent se soustraire.

Et le don arrive. Seigneur! avoir le don et ne pas être sifflé! On devient superstitieux, on a son étoile. Puis, l'insuccès ou le succès brutal de la première représentation déforme tout. Les spectateurs réagissent les uns sur les autres. On porte aux nues des oeuvres médiocres, on jette au ruisseau des oeuvres estimables. Mille circonstances modifient le jugement. Plus tard, on s'étonne, on ne comprend plus. Il n'y a pas de verdict passionné où la justice soit plus rare.

C'est le théâtre. Et il paraît que, si défectueuse et si dangereuse que soit cette forme de l'art, elle a une puissance bien grande, puisqu'elle enrage tant d'écrivains. Ils y sont attirés par l'odeur de bataille, par le besoin de conquérir violemment le public. Le pis est que la critique se fâche. Vous n'avez pas le don, allezvousen. Et elle a dit certainement cela à Scribe, quand il a été sifflé, à ses débuts; elle l'a répété à M. Sardou, à l'époque de la Taverne des étudiants; elle jette ce cri dans les jambes de tout nouveau venu, qui arrive avec une personnalité. Ce fameux don est le passeport des auteurs dramatiques. Avezvous le don? Non. Alors, passez au large, ou nous vous mettons une balle dans la tête.

J'avoue que je remplis d'une tout autre manière mon rôle de critique. Le don me laisse assez froid. Il faut qu'une figure ait un nez pour être une figure; il faut qu'un auteur dramatique sache faire une pièce pour être un auteur dramatique, cela va de soi. Mais que de marge ensuite! Puis, le succès ne signifie rien. Phèdre est tombée à la première représentation. Dès qu'un auteur apporte une nouvelle formule, il blesse le public, il y a bataille sur son oeuvre. Dans dix ans, on l'applaudira.

Ah! si je pouvais ouvrir toutes grandes les portes des théâtres à la jeunesse, à l'audace, à ceux qui ne paraissent pas avoir le don aujourd'hui et qui l'auront peutêtre demain, je leur dirais d'oser tout, de nous donner de la vérité et de la vie, de ce sang nouveau dont notre littérature dramatique a tant besoin! Cela vaudrait mieux que de se planter devant nos théâtres, une férule de magister à la main, et de crier: «Au large!» aux jeunes braves qui ne procèdent ni de Scribe ni de M. Sardou. Fichu métier, comme disent les gendarmes, quand ils ont une corvée à faire.

LES JEUNES

J'ai entendu dire un jour à un faiseur, ouvrier très adroit en mécanique théâtrale: «On nous parle toujours de l'originalité des jeunes; mais quand un jeune fait une pièce, il n'y a pas de ficelle usée qu'il n'emploie, il entasse toutes les combinaisons démodées dont nous ne voulons plus nousmêmes.» Et, il faut bien le confesser, cela est vrai. J'ai remarqué moimême que les plus audacieux des débutants s'embourbaient profondément dans l'ornière commune.

D'où vient donc cet avortement à peu près général? On a vingt ans, on part pour la conquête des planches, on se croit très hardi et très neuf; et pas du tout, lorsqu'on a accouché d'un drame ou d'une comédie, il arrive presque toujours qu'on a pillé le répertoire de Scribe ou de M. d'Ennery. C'est tout au plus si, par maladresse, on a réussi à défigurer les situations qu'on leur a prises. Et j'insiste sur l'innocence parfaite de ces plagiats, on s'imagine de très bonne foi avoir tenté un effort considérable d'originalité.

Les critiques qui font du théâtre une science et qui proclament la nécessité absolue de la mécanique théâtrale, expliqueront le fait en disant qu'il faut être écolier avant d'être maître. Pour eux, il est fatal qu'on passe par Scribe et M. d'Ennery, si l'on veut un jour connaître toutes les finesses du métier. On étudie naturellement dans leurs oeuvres le code des traditions. Même les critiques dont je parle croiront tirer de cette imitation inconsciente un argument décisif en faveur de leurs théories: ils diront que le théâtre est à un tel point une pure affaire de charpente, que les débutants, malgré eux, commencent presque toujours par ramasser les vieilles poutres abandonnées pour en faire une carcasse à leurs oeuvres.

Quant à moi, je tire de l'aventure des réflexions tout autres. Je demande pardon si je me mets en scène; mais j'estime que les meilleures observations sont celles que l'on fait sur soi. Pourquoi, lorsqu'à vingt ans je rêvais des plans de drames et de comédies, ne trouvaisje jamais que des coups de théâtre las de traîner partout? Pourquoi une idée de pièce se présentaitelle toujours à moi avec des combinaisons connues, une convention qui sentait le monde des planches? La réponse est simple: j'avais déjà l'esprit infecté par les pièces que j'avais vu jouer, je croyais déjà à mon insu que le théâtre est un coin à part, où les actions et les paroles prennent forcément une déviation réglée d'avance.

Je me souviens de ma jeunesse passée dans une petite ville. Le théâtre jouait trois fois par semaine, et j'en avais la passion. Je ne dînais pas pour être le premier à la porte, avant l'ouverture des bureaux. C'est là, dans cette salle étroite, que pendant cinq ou six ans j'ai vu défiler tout le répertoire du Gymnase et de la PorteSaintMartin. Éducation déplorable et dont je sens toujours en moi l'empreinte ineffaçable. Maudite petite salle! j'y ai appris comment un personnage doit entrer et sortir; j'y ai appris la symétrie des coups de scène, la nécessité des rôles sympathiques et moraux, tous les escamotages de la vérité, grâce à un geste ou à une tirade; j'y ai appris ce code compliqué de la convention, cet arsenal des ficelles qui a fini par constituer chez nous ce que la critique appelle de ce mot absolu «le théâtre». J'étais sans défense alors, et j'emmagasinais vraiment de jolies choses dans ma cervelle.

On ne saurait croire l'impression énorme que produit le théâtre sur une intelligence de collégien échappé. On est tout neuf, on se façonne là comme une cire molle. Et le travail sourd qui se fait en vous, ne tarde pas à vous imposer cet axiome: la vie est une chose, le théâtre en est une autre. De là, cette conclusion: quand on veut faire du théâtre, il s'agit d'oublier la vie et de manoeuvrer ses personnages d'après une tactique particulière, dont on apprend les règles.

Allez donc vous étonner ensuite si les débutants ne lancent pas des pièces originales! Ils sont déflorés par dix ans de représentations subies. Quand ils évoquent l'idée de théâtre, toute une longue suite de vaudevilles et de mélodrames défilent et les écrasent. Ils ont dans le sang la tradition. Pour se dégager de cette éducation abominable, il leur faut de longs efforts. Certes, je crois qu'un garçon qui n'aurait jamais mis les pieds dans une salle de spectacle, serait beaucoup plus près d'un chefd'oeuvre qu'un garçon dont l'intelligence a reçu l'empreinte de cent représentations successives.

Et l'on surprend très bien là comment la convention théâtrale se forme. C'est une autre langue que l'on apprend à parler. Dans les familles riches, on a une gouvernante anglaise ou allemande qui est chargée de parler sa langue aux enfants, pour que ceuxci l'apprennent sans même s'en apercevoir. Eh bien, c'est de cette façon que se transmet la convention théâtrale. A notre insu, nous l'admettons comme une chose courante et naturelle. Elle nous prend tout jeunes et ne nous lâche plus. Cela nous semble nécessaire qu'on agisse autrement sur les planches que dans la vie de tous les jours. Nous en arrivons même à marquer certains faits comme appartenant spécialement au théâtre. «Ça, c'est du théâtre», disonsnous, tellement nous distinguons entre ce qui est et ce que nous avons accepté.

Le pis est que cette phrase: «Ça, c'est du théâtre», prouve à quel point de simple facture nous avons rabaissé notre scène nationale. Estce que du temps de Molière et de Racine, un critique aurait osé louer leurs chefsd'oeuvre, en disant: «C'est du théâtre»? Aujourd'hui, quand on dit qu'une pièce est du théâtre, il n'y a plus qu'à tirer l'échelle. C'est, je le répète une fois encore, que l'intrigue et la charpente priment tout, dans notre littérature dramatique. Le code théâtral que le goût public impose n'a pas cent ans de date, et j'enrage lorsque j'entends qu'on le donne comme une loi révélée, à jamais immuable, qui a toujours été et qui sera toujours. Si l'on se contentait de voir dans ce prétendu code une formule passagère qu'une autre formule remplacera demain, rien ne serait plus juste, et il n'y aurait pas à se fâcher.

D'ailleurs, on peut bien accorder que la formule en question, celle qui agonise en ce moment, a été inventée par des hommes d'habileté et de goût. En voyant le succès européen qu'elle a eu, ils ont pu croire un instant qu'ils avaient découvert «le théâtre», le seul, l'unique. Toutes les nations voisines, depuis cinquante ans, ont pillé notre répertoire moderne et n'ont guère vécu que de nos miettes dramatiques. Cela vient de ce que la formule de nos dramaturges et de nos vaudevillistes convient aux foules, qu'elle les prend par la curiosité et l'intérêt purement physique. En outre, c'est là une littérature légère, d'une digestion facile, qui ne demande pas un grand effort pour être comprise. Le roman feuilleton a eu un pareil succès en Europe.

Certes, il ne faut pas être fier, selon moi, de l'engouement de la Russie et de l'Angleterre, par exemple, pour nos pièces actuelles. Ces pays nous empruntent aussi les modes de nos femmes, et l'on sait que ce ne sont pas nos meilleurs écrivains qui y sont applaudis. Estce que jamais les Russes et les Anglais ont eu l'idée de traduire notre répertoire classique? Non; mais ils raffolent de nos opérettes. Je le dis encore, le succès en Europe de nos pièces modernes vient justement de leurs qualités moyennes: un jeu de bascule heureux, un rébus qu'on donne à déchiffrer, un joujou à la mode d'un maniement facile pour toutes les intelligences et toutes les nationalités.

D'ailleurs, c'est chez les étrangers euxmêmes que j'irai choisir aujourd'hui mon dernier argument contre cette idée fausse d'un absolu quelconque dans l'art dramatique. Il faut connaître le théâtre russe et le théâtre anglais. Rien d'aussi différent, rien d'aussi contraire à l'idée balancée et rythmique que nous nous faisons en France d'une pièce. La littérature russe compte quelques drames superbes, qui se développent avec une originalité d'allures des plus caractéristiques: et je n'ai pas à dire quelle violence, quel génie libre règne dans le théâtre anglais. Il est vrai, nous avons infecté ces peuples de notre joli joujou à la Scribe, mais leurs théâtres nationaux n'en sont pas moins là pour nous montrer ce qu'on peut oser.

En tout cas, les chefsd'oeuvre dramatiques des autres nations prouvent que notre théâtre contemporain, loin d'être une formule absolue, n'est qu'un enfant bâtard et bien peigné. Il est l'expression d'une décadence, il a perdu toutes les rudesses du génie et ne se sauve que par les grâces d'une facture adroite. Aussi estil grand temps de le retremper aux sources de l'art, dans l'étude de l'homme et, dans le respect de la réalité.

Un de mes bons amis me faisait des confidences dernièrement. Il a écrit plus de dix romans, il marche librement dans un livre, et il me disait que le théâtre le faisait trembler, lui qui pourtant n'est pas un timide. C'est que son éducation dramatique le gêne et le trouble, dès qu'il veut aborder une pièce. Il voit les coups de scène connus, il entend les répliques d'usage, il a la cervelle tellement pleine de ce monde de carton, qu'il n'ose faire un effort pour se débarrasser et être lui. Tout ce public qu'il évoque en imagination, les yeux braqués sur la scène, le jour où l'on jouera son oeuvre, l'effare au point qu'il devient imbécile et qu'il se sent glisser aux banalités applaudies. Il lui faudrait tout oublier.

Milton Keynes UK
Ingram Content Group UK Ltd.
UKHW050628301023
431584UK00009B/486